# Comment j'ai retrouvé mon papi

*À Bouffayré et ses deux roses.*
*Avec toute mon amitié.*
*Q. S.*

*À Madeleine et ses « zizards ».*
*J. P.*

© Éditions Nathan (Paris, France), 2013
Loi n° 49956 du 16 juillet 1949 sur les publications destinées à la jeunesse
ISBN : 978-2-09-254081-7
N° d'éditeur : 10185300 - Depôt légal : avril 2013
Imprimé en France par Pollina - L64013

QUITTERIE SIMON

# Comment j'ai retrouvé mon papi

Illustrations de Joëlle Passeron

MAMIE VA ENCORE RÂLER. J'ai mis du foin partout, de la cave au balcon, le royaume de Balthazar lorsque nous passons le week-end chez elle.

Balthazar, c'est le nom d'un Roi mage et d'un cadeau royal, celui de mon papi : un lapin nain tête de lion, avec une crinière !

J'ai intérêt à vite balayer, car Mamie, elle l'aime bien, mon lapin, mais à condition de

pouvoir l'oublier. Comme Papi. Enfin…
André ! Euh… je ne sais plus vraiment comment l'appeler.

– Bon allez, on n'en parle plus !

C'est ce que Mamie dit toujours après avoir parlé de lui, justement.

André, c'était le mari de Mamie jusqu'à leur divorce, il y a deux ans. Avant, même s'il n'est pas le papa de Maman, pour moi, c'était « Papi », « Papi chéri » ou « Papinounet adoré ». Il me disait qu'on était fait du même bois, tous les deux. Celui des arbres de montagne, qui ne poussent bien qu'à l'extérieur. Mamie, elle, c'est une orchidée. Une fleur délicate et précieuse qui déteste les courants d'air.

Je n'osais plus parler d'André. Mamie le faisait suffisamment, en s'énervant beaucoup et en racontant des choses que je n'aimais pas entendre.

À propos d'argent, d'égoïsme et de « il va voir ce qu'il va voir ».

– Ces histoires ne sont pas pour toi, Rose.

C'est ce que m'avait dit Papa, une fois où Mamie pleurait dans notre salon. Et il m'avait emmenée à la piscine.

André m'avait manqué au début. Lui, nos échappées belles en montagne, nos petits secrets… On en avait plein, tous les deux :

il m'apprenait à tailler un bâton avec un vrai canif, à conduire sa camionnette dans le pré, ou encore il me laissait assister à la naissance des bébés animaux… Si on avait raconté ça à Mamie, elle aurait crié que c'est dégoûtant ou dangereux et que ce n'est pas ainsi qu'on élève une jeune fille.

Puis André, j'y ai moins pensé. Grâce aux copines, à l'école… Le foin pour Balthazar, on s'est mis à l'acheter au supermarché. Un prix incroyable pour un tout petit paquet. Avant, c'était André qui le faisait. Il devait être meilleur, plein de fleurs et séché au soleil de l'été. Mais même Balthazar semble avoir oublié le goût d'avant.

Or, ce week-end, Papi – euh… André – m'a invitée, pour mon anniversaire. Voilà deux ans qu'il me réclame, depuis que Mamie l'a quitté. Il dit qu'il n'est peut-être plus son mari à elle, mais que quoi qu'il arrive il reste mon papi. Et que personne n'a le droit de nous séparer comme ça. Pourtant, aujourd'hui, je ne suis plus très sûre d'avoir envie de le revoir. C'est bizarre de retrouver quelqu'un après si longtemps.

## deux

C'EST PAPA qui m'emmène chez André. Ils se voient encore tous les deux de temps en temps, car ils chassent ensemble.

— Bande de sauvages, leur disait Mamie lorsqu'ils revenaient avec leur gibier.

— Si nous ne chassions pas, répondait André, il y aurait trop de sangliers. Les champs seraient dévastés.

— Et les isards ! répliquait ma grand-mère.

Ceux après lesquels tu cours des jours durant, seul comme un ours… Ils sont bien tranquilles en montagne, eux !

Mais si André courait encore après les sangliers, je crois que c'était surtout pour faire plaisir à Papa. J'avais bien remarqué, moi aussi, que la seule chasse qui lui faisait vraiment briller les yeux, c'était celle de l'isard, ce seigneur des montagnes. C'est là qu'André était le meilleur ! Enfin… à quelques petits points près d'un autre chasseur, qui habite à l'autre bout des Pyrénées. Car cette chasse est aussi une compétition. Avec des points que l'on gagne grâce aux cornes de ces bêtes si fières.

Depuis des années, mon papi avait repéré un isard.

– Un mâle magnifique, m'avait-il confié, coiffé de cornes extraordinaires.

Il n'avait pas encore réussi à l'attraper,

mais il le coursait, tout seul. C'était son plaisir, d'être seul. Ou… avec moi !

Il m'avait déjà emmenée dans ses coins de montagne.

– Si tu assassines une bête devant la petite… le menaçait Mamie.

Mais ces jours-là, il n'emportait pas de fusil. Ensemble, nous cherchions les traces de « son » isard. Près de là où il venait boire, aimait se reposer ou se poster pour observer son territoire. On recueillait ses poils

sur l'écorce d'un arbre. On scrutait ses crottes pour savoir quand il était passé par là. Était-ce il y a une heure ? Une nuit ? Une semaine ?

— Papi, tu es sûr que ce sont bien ses crottes à lui ?

On se prenait pour des détectives et j'adorais ça.

Une fois, alors que nous avancions en silence dans le tout petit matin, il a surgi sur la crête, à vingt mètres. L'isard ! Tellement majestueux, un vrai seigneur… Savait-il que nous n'étions pas armés ? Il est resté plusieurs minutes à nous regarder. J'osais à peine respirer. Puis il s'est élancé dans la pente escarpée et rose de fleurs de rhododendrons.

Avec Papi, nous ne parlions plus, émus. Et je me suis demandé comment il pouvait songer à tirer. De quel droit? J'ai eu envie, soudain, de lui faire du grand cinéma, avec de vraies larmes. Pour qu'il me promette, qu'il me jure, même, qu'il ne tuerait jamais cet isard ni aucun autre.

Accepterait-il de renoncer à sa chasse, mon papi sauvage? Pour moi…

Je l'ai regardé par en dessous. Il était encore tout souriant de cet instant qui faisait sa vie belle.

Alors, j'ai juste décidé de me réconcilier avec lui dans ma tête. Pour m'aider, je m'étais rappelé ce qu'il m'avait dit : « Jamais, jamais je ne tire sur une maman ou son petit ! »

C'était déjà ça…

## trois

À L'ARRIÈRE DE LA VOITURE, je regarde les dernières traces de ville disparaître… Bientôt, la route suit la rivière, se faufile entre les montagnes et nous arrivons au village. Il fait beau. Mes jambes fourmillent. Elles rêvent de courir à m'en faire perdre haleine. Mes narines cherchent l'odeur des torrents, des forêts. Mais mon ventre, lui, est noué.

À la terrasse du café, je reconnais quelques chasseurs, dont Roger – celui qui « tire sur tout ce qui bouge », comme le répétait souvent André. On dirait que tous ces hommes complotent, autour de leurs verres.

– Dans quelques jours, c'est l'ouverture de la chasse, m'annonce Papa.

Les équipes doivent être en train de se former. Combien d'animaux, cette saison-ci, auront-ils le droit de tirer ? André n'est pas à la terrasse, il nous attend chez lui.

Papa frappe à sa porte. Avant, il entrait aussitôt après. Là, nous attendons. J'entends des bruits de pas.

– Les voilà, les plus beaux !

André a l'air ravi et… plus vieux. Il embrasse Papa puis…

Avant, je me jetais dans ses bras en criant « Papiii ! ». Lui me soulevait, on s'embrassait et, moi à califourchon sur son dos, on partait faire le tour du jardin, de la basse-cour… Voir si les châtaignes étaient mûres ou le nichoir habité…

Là, je reste sur mes pieds. Je tends la joue et dis :

– Bonjour, An…

Je ne termine pas. Je vois dans son regard de la surprise. Puis de la tristesse. Je regrette, mais c'est sorti tout seul. Cela fait des mois maintenant qu'André n'est plus nommé

qu'ainsi à la maison. J'ai l'impression de trahir, d'un seul coup, la boîte entière de nos secrets. Mais en disant « Papi », j'aurais aussi l'impression de trahir Mamie.

Du coup, je ne sais plus comment l'appeler.

André nous fait passer au salon, comme de vrais invités.

– Comme je suis content de te voir, ma Rose ! s'exclame-t-il. Raconte-moi, que deviens-tu de beau ?

Difficile de répondre à cette question ! Comment résumer deux ans de ma vie ? Je dis dans quelle classe je suis et que, moi aussi, je suis contente de le voir. Puis… je bois mon jus d'orange. Papa prend le relais et je suis soulagée qu'ils parlent tous les deux.

– On passe à table, propose André, mais dans deux minutes… C'est que ce n'est pas rien de recevoir des invités, moi qui ne sais même pas faire cuire un œuf à la coque !

C'est vrai qu'avant c'était toujours Mamie qui cuisinait. Sur le buffet trône une croustade aux pommes… achetée. Ça se voit. Et un paquet cadeau, qui doit être pour mon anniversaire.

– Rose, en attendant, tu peux aller voir le poulailler. Si tu trouves des œufs, ils sont pour toi. Et va dire bonjour aux lapins. À propos, comment se porte Balthazar ?

Mais même aux lapins et aux poules, je ne sais pas quoi dire… Je ramasse quelques œufs, pour faire plaisir à André, et nous passons à table.

## quatre

— ALORS, COMMENT S'ANNONCE la chasse cette année ? Elle ouvre bientôt, pas vrai ? demande Papa après la macédoine de légumes à la mayonnaise achetée chez le boucher.

André hausse les épaules.

— Cette année, ce n'est pas moi qui ferai trembler les bestioles.

Papa fronce les sourcils.

— L'année dernière, je n'ai même pas sorti mon fusil.

– Et… cette année ? l'interroge Papa du même ton, soudain, que s'il s'adressait à un malade.

André soulève ses mains en signe d'impuissance, puis montre ses jambes, son cœur…

Qu'est-ce qu'il a ? Mal au cœur… à cause de Mamie ? Et c'est contagieux pour les jambes ? Avant, je savais bien qu'il souffrait un peu en montagne, surtout à la montée et quand il était chargé. Mais jamais il n'en parlait !

Papa change de sujet :

– Et ton isard aux cornes à 98 points, comment il va ?

– J'imagine qu'il se porte comme un charme... répond André.

– Cela fait bien trois ans que tu le courses ? demande Papa.

Ils parlent de ce fameux isard que j'avais aperçu avec André !

– Que je le coursais, précise André. Eh oui ! Une bête comme celle-là se mérite ! Je crois que je n'en ai jamais vu d'aussi belle. Elle fera la gloire de quelqu'un d'autre...

Il doit penser à ceux du bistrot, qui ne peuvent sans doute pas s'empêcher de se réjouir de ce que le meilleur d'entre eux, mon papi, soit « hors course ».

André se lève pour aller chercher la croustade et le cadeau, sur le buffet. Il n'a pas trouvé les bougies « dans cette maison » et

s'en excuse. Je dis merci pour le cadeau –
un collier fait par une dame du village, un
peu artiste… J'essaie d'avoir l'air sincère-
ment contente. C'est normal qu'André ne
sache pas ce qui plaît à une fille de mon
âge. Et puis, c'est l'intention qui compte.

Je suis soulagée lorsque nous remontons
en voiture. Papa dit à André que je dois
réviser un contrôle pour demain. Alors, on
ne peut pas rentrer tard.

– Bien sûr, répond André. C'est important, l'école. Je penserai bien à toi demain, Rose.

Puis il me donne un carton rempli de foin.

– Pour Balthazar, précise-t-il.

– Mmmh, qu'il sent bon ! Balthazar va être super content. Merci pour lui. Et merci pour cette bonne journée.

Je fais très attention à ne l'appeler ni par un nom ni par l'autre.

Papa démarre. Zut ! j'ai oublié les œufs ! Tant pis !

## cinq

Le soir, en m'endormant, j'écoute Balthazar mâchonner son foin… dont l'odeur me
transporte dans le jardin d'André. En été.

À cette heure-ci, lui aussi doit être dans
son lit, en train d'imaginer ses copains du
bistrot astiquant leurs fusils. Ou son isard,
ruminant tranquillement des repousses de
sorbier, alors que la chasse va bientôt com-
mencer… Soudain, Roger surgit. C'est la
première fois qu'il vient sur ce versant de

montagne… Roger aperçoit l'isard. Jamais il n'en a vu d'aussi beau ! Et quelles cornes ! Elles doivent valoir dans les 90 points ! Au moins… Roger met en joue. Il tremble d'excitation. Pan ! Le coup part. L'isard est blessé. Évidemment : Roger tire comme un pied ! L'animal veut fuir, mais une de ses pattes est cassée. Il tombe lourdement contre un rocher. Roger s'approche, sort sa dague…

Roger traverse le village, sous les acclamations des copains du bistrot. Sur ses épaules gît le seigneur de la montagne. Il passe sous les fenêtres d'André… Dans quelques jours, Roger ira présenter les cornes à l'Office de la chasse.

Et il sera sacré meilleur chasseur des Pyrénées.

Je me redresse d'un seul coup dans mon lit.

Dans la pénombre de la cuisine, mon père travaille en buvant un café.

– Papa, c'est bien dimanche l'ouverture de la chasse ?

– Oui, répond-il. Mais… tu ne devrais pas dormir ?

– Si, mais je veux… euh ! Je voudrais aller passer le week-end chez André.

Mon père ouvre des yeux immenses.

– Papa, s'il te plaît…

## six

– VESTE POLAIRE et cape de pluie ? demande André.

– O.K. !

Même s'il va faire beau, mais « on ne sait jamais »...

– Gourdes, réchaud et tasses en fer ?

– O.K. !

– Crème solaire, trousse de secours ?

– O.K. !

– Sandwichs, abricots secs et chocolat préféré ?

– O.K. !

Même si le chocolat qu'André gardait dans le placard pour moi est complètement périmé… Je ne le lui dis pas.

L'autre sac est prêt. Le sac de chasse, avec les jumelles, le couteau, les cartouches… Et par-dessus, le fusil.

– On peut très bien aller se promener sans lui, m'a répété André tout hier soir, pendant que je nous cuisinais des spaghettis à la carbonara.

– Je sais, j'ai répondu. Mais grâce à cet isard, bientôt, tu seras le roi des Pyrénées. Allez, ce fusil, on le prend !

Ce qui m'inquiète, moi, ce sont les jambes d'André. Il a beau m'assurer que ça ira, je ne suis pas sûre que ce soit vrai. Et si c'était une bêtise de l'entraîner vers sa montagne escarpée ?

Je n'en ai parlé à personne. Ni à Maman, ni à Mamie, bien sûr. Ni même à Papa. Je

leur ai raconté que je voulais tenir compa-
gnie à André le jour de l'ouverture de la
chasse, pour qu'il oublie un peu qu'il ne
pouvait pas y aller.

À André, j'ai dit que Papa était d'accord
pour qu'il m'emmène chasser…

Nous grimpons dans la camionnette. Le
jour n'est pas encore levé. Nos phares
éclairent la route, puis la piste forestière.

Nous nous garons. J'enfile mes godillots, resserre les sangles de mon sac à dos. Pour alléger André, j'ai glissé à l'intérieur nos deux gourdes d'eau.

Puis c'est le silence, la rosée sur les chaussures, les jambes qui s'accordent au rythme du cœur. La mer de nuage et le soleil qui se lève. J'avais oublié à quel point c'est beau !

– À partir de maintenant, me prévient André, nous entrons sur le territoire de notre isard…

## sept

Voilà deux bonnes heures qu'André marche devant, les yeux rivés au sol. Il cherche des traces. Moi, je l'espionne, je guette le moindre signe de faiblesse. De temps en temps, il redresse la tête et scrute les falaises. Il rayonne, il n'est plus le même que le week-end dernier. Cela me rassure. Mais bientôt je me demande : « Et l'isard, il sait qu'il meurt ? Est-ce qu'il va y avoir du sang ? »

Je fais un effort pour me rappeler le but de la journée. Au-delà de la mort de l'animal, il y a la joie d'André. C'est elle que j'ai choisie.

Le soleil est déjà haut dans le ciel, et toujours pas d'isard en vue.

– On fait une pause ? propose André.

D'habitude, c'est moi qui demandais. Mais là, ne vaudrait-il mieux pas continuer ? Dès que notre proie cherchera un coin d'ombre sous la roche, elle sera plus difficile à trouver. Mais peut-être qu'André souffre sans vouloir l'avouer…

Nous nous installons à l'ombre d'un pin tordu, face aux sommets. André sort son réchaud et pose dessus sa vieille tasse en fer pleine d'eau.

– Je suis le roi, déclare-t-il. Tu es ma princesse, voici notre royaume et bientôt…

Soudain, André prend un air mystérieux et se tait.

L'eau commence à bouillir. Je regarde les petites bulles qui se forment à la surface en m'inquiétant : si André souffre, est-ce qu'il faut continuer ? Et si notre isard avait déjà été tué ? S'il était mort de vieillesse ?

André s'applique à diluer du lait en poudre dans l'eau. Ça fait des grumeaux. Puis il casse des morceaux de chocolat dans les tasses et essaie de les faire fondre. Je ne peux m'empêcher de sourire : André cuisine !

– Attention, me prévient-il quand c'est prêt. C'est très chaud. Souffle, en attendant.

– En attendant quoi ?

– Chut ! chuchote-t-il tout à coup. Le voilà ! Tchin tchin, ma Rose ! À cet instant magique !

Je lève les yeux. L'isard est là ! Immobile, tout près... J'en renverserais presque ma tasse de surprise.

Le fusil ! Où est-il ?

Contre le tronc d'arbre. Je lance un regard
désespéré à André : peut-il l'attraper sans
trop bouger ? Il ne fait rien pour. L'isard
nous regarde, un long moment, avant de
s'élancer dans la pente, escarpée et violette
de fleurs de bruyères…

André, alors, me fait un sourire immense.

– De toutes les façons, mes cartouches sont périmées…

J'ouvre la bouche, je la referme, sans parler. Trop d'émotions, trop de pensées ! Je n'arrive plus à trier : est-ce que je me suis fait avoir ? En tout cas, je suis super soulagée ! André vient d'abdiquer au royaume de l'isard. Pour moi ! Il m'aime autant que ça ?

Mais moi ?! Moi… je ne sais pas le dire. Alors, je le regarde droit dans les yeux et, avec un petit rire, je réponds :

– Eh, Papi, tu sais quoi ? Ton chocolat aussi, il est périmé !

Et je me tords le ventre en faisant semblant d'avoir mal. Mais André ne me croit pas. À moins qu'il n'ait entendu qu'un seul mot. Il éclate de rire et se met à crier – ce qu'il m'a toujours interdit de faire en montagne.

Et l'écho nous renvoie ses mots :
– Je suis le roi des papis… papis… papis…

# TABLE DES MATIÈRES

## Quitterie Simon

Un soir à la fin de l'été, j'ai invité André au coin d'une cheminée, en montagne. Pendant que nous faisions rôtir des brochettes d'abricots sur le feu (avec plein d'amandes dedans), il m'a parlé des isards et de cette chasse si particulière. Cela faisait des années que je le connaissais et pourtant, il me racontait cela pour la première fois… Lorsqu'il est reparti dans la nuit, j'ai eu envie de partager cette histoire.

## Joëlle Passeron

Joëlle Passeron a grandi à la campagne où elle a fait un nombre impressionnant de ballades en forêt et dans les champs. En regardant au loin, sur la gauche, elle pouvait voir la Forêt-Noire. Le bac en poche, elle est allée étudier à Paris. Pfuit ! plus d'arbres à gogo, de fleurs, de papillons, de framboises à volonté. Du coup, elle y retourne l'été, faire le plein de chants d'oiseaux et de promenades. Et entre deux, elle dessine des arbres, comme dans cette belle histoire.